ÉCRIVAINS FRANÇAIS

Extraits

PROSE

ÉCRIVAINS
FRANÇAIS

EXTRAITS
—PROSE—

Prepared and Read for the
Accompanying Recording
by
PROFESSOR JEANNE VARNEY PLEASANTS
Columbia University

GOLDSMITH'S MUSIC SHOP, INC.
401 West 42nd St.   New York 36, N. Y.

A mes amis

qui furent mes étudiants,

je dédie ce recueil.

INTRODUCTION

Ce recueil, présenté aujourd'hui en deux petits volumes (I. Poésie, II. Prose) est destiné surtout aux étudiants de français qui, tout en se consacrant à l'histoire des idées et des genres littéraires en France, ont aussi le désir et la belle audace d'étudier les beautés formelles et musicales de la langue.

Depuis quelques années déjà, ce petit recueil est en usage dans de nombreux cours de phonétique française dont l'objet essentiel est l'étude des caractéristiques rythmiques et sonores de la langue et du rapport étroit des idées, du rythme et des sons chez un auteur donné, poète ou prosateur.

D'aucuns s'étonneront de voir presque exclusivement, pour les textes de poésie, l'alexandrin et l'octosyllable; pour la prose, des descriptions.

C'est à dessein.

Car on trouvera dans la première partie de tout cours de phonétique bien conçu, de nombreux extraits de prose inscrits au programme qui représentent les genres principaux: contes, théâtre, oraisons funèbres, histoire, philosophie, sciences, etc. Les anthologies ne manquent pas où sont réunis d'excellents passages qui peuvent éventuellement compléter le manuel de phonétique.

Plus tard, devenu sensible aux complexités du rythme, aux nuances jusque-là insaisissables de sons voisins mais cependant distincts, l'étudiant s'initiera avec joie à la musique de l'alexandrin et au charme de l'octosyllabe. Les différents poèmes, depuis le *Sonnet à Hélène* jusqu'à *Bateau ivre,* suffiront à faire comprendre jusqu'où peut aller la souplesse de notre vers traditionnel.

A l'initiation à la poésie s'ajoutera la révélation de la prose poétique.

De la page noire et blanche, toute plate, le lecteur verra, peu à peu, sortir un relief, le tableau prendre de la consistance. Ce ne sera plus une succession de mots quelconques dépeignant "encore un paysage" — dont on a hâte d'achever la lecture pour arriver "aux idées". Mais des plans successifs, éloignés ou rapprochés, des perspectives harmonieuses ou rudes, des ombres, des lumières, des demi-teintes, des parfums et des odeurs, des bruits et des sons, se dégageront pour former le produit unique, inimitable, de la sensibilité d'un auteur.

Cet ouvrage n'est pas un recueil destiné à l'étude de la déclamation théâtrale, ni même de la déclamation tout court. Il a été conçu pour la lecture à haute voix, simple et objective, qui repose uniquement sur les principes fondamentaux de phonétique française. C'est par elle que résonnera la poésie du poète et non une autre. Aucun effet de voix, aucune intonation capricieuse, exagérée, personnelle, ambitieuse de reproduire la "façon de dire" de l'interprète, ou du professeur de l'interprète, ou de l'acteur ou de l'actrice qu'il désire imiter; mais le texte nu, dépouillé d'artifice.

JEANNE VARNEY PLEASANTS
Columbia University

RÊVERIES DU PROMENEUR SOLITAIRE

Au bout de deux ou trois heures je m'en revenais
chargé d'une ample moisson, provision d'amusement
pour l'après dînée au logis, en cas de pluie. J'employais
le reste de la matinée à aller avec le receveur, sa femme
et Thérèse, visiter leurs ouvriers et leur récolte, mettant
le plus souvent la main à l'œuvre avec eux ; et souvent,
des Bernois qui me venaient voir m'ont trouvé juché sur
de grands arbres, ceint d'un sac que je remplissais de
fruits, et que je dévalais ensuite à terre avec une corde.
L'exercice que j'avais fait dans la matinée, et la bonne
humeur qui en est inséparable, me rendaient le repos
du dîner très agréable ; mais quand il se prolongeait
trop, et que le beau temps m'invitait, je ne pouvais si
longtemps attendre ; et pendant qu'on était encore à
table, je m'esquivais, et j'allais me jeter seul dans un
bateau que je conduisais au milieu du lac quand l'eau
était calme : et là, m'étendant tout de mon long dans
le bateau, les yeux tournés vers le ciel, je me laissais aller
et dériver lentement au gré de l'eau, quelquefois pendant plusieurs heures, plongé dans mille rêveries con-
fuses, mais délicieuses, et qui, sans avoir aucun objet
bien déterminé, ni constant, ne laissaient pas d'être à
mon gré cent fois préférables à tout ce que j'avais trouvé
de plus doux dans ce qu'on appelle les plaisirs de la
vie. Souvent, averti par le baisser du soleil de l'heure de

la retraite, je me trouvais si loin de l'île, que j'étais forcé de travailler de toute ma force pour arriver avant la nuit close. D'autres fois, au lieu de m'écarter en pleine eau, je me plaisais à côtoyer les verdoyantes rives de l'île, dont les limpides eaux et les ombrages frais m'ont souvent engagé à m'y baigner.

⁂

Quand le lac agité ne me permettait pas la navigation, je passais mon après-midi à parcourir l'île, en herborisant à droite et à gauche, m'asseyant tantôt dans les réduits les plus riants et les plus solitaires pour y rêver à mon aise, tantôt sur les terrasses et les tertres, pour parcourir des yeux le superbe et ravissant coup d'œil du lac et de ses rivages, couronnés d'un côté par des montagnes prochaines, et de l'autre élargis en riches et fertiles plaines, dans lesquelles la vue s'étendait jusqu'aux montagnes bleuâtres plus éloignées, qui la bornaient.

Quand le soir approchait, je descendais des cimes de l'île, et j'allais volontiers m'asseoir au bord du lac, sur la grève, dans quelque asile caché ; là, le bruit des vagues et l'agitation de l'eau, fixant mes sens et chassant de mon âme toute autre agitation, la plongeaient dans une rêverie délicieuse, où la nuit me surprenait souvent sans que je m'en fusse aperçu. Le flux et le reflux

12

de cette eau, son bruit continu, mais renflé par intervalles, frappant sans relâche mon oreille et mes yeux, suppléaient aux mouvements internes que la rêverie éteignait en moi, et suffisaient pour me faire sentir avec plaisir mon existence, sans prendre la peine de penser. De temps à autre naissait quelque faible et courte réflexion sur l'instabilité des choses de ce monde, dont la surface des eaux m'offrait l'image ; mais bientôt ces impressions légères s'effaçaient dans l'uniformité du mouvement continu qui me berçait, et qui, sans aucun concours actif de mon âme, ne laissait pas de m'attacher au point qu'appelé par l'heure et par le signal convenu je ne pouvais m'arracher de là sans effort.

JEAN-JACQUES ROUSSEAU

LE GENIE DU CHRISTIANISME

Un soir je m'étais égaré dans une forêt, à quelque distance de la cataracte du Niagara ; bientôt je vis le jour s'éteindre autour de moi, et je goûtai, dans toute sa solitude, le beau spectacle d'une nuit dans les déserts du Nouveau Monde.

Une heure après le coucher du soleil, la lune se montra au-dessus des arbres, à l'horizon opposé. Une brise embaumée, que cette reine des nuits amenait de l'orient avec elle, semblait la précéder dans les forêts comme sa fraîche haleine. L'astre solitaire monta peu à peu dans le ciel : tantôt il suivait paisiblement sa course azurée ; tantôt il reposait sur des groupes de nues qui ressemblaient à la cime de hautes montagnes couronnées de neige. Ces nues, ployant et déployant leurs voiles, se déroulaient en zones diaphanes de satin blanc, se dispersaient en légers flocons d'écume, ou formaient dans les cieux des bancs d'une ouate éblouissante, si doux à l'œil, qu'on croyait ressentir leur mollesse et leur élasticité.

La scène sur la terre n'était pas moins ravissante : le jour bleuâtre et velouté de la lune descendait dans les intervalles des arbres, et poussait des gerbes de lumière jusque dans l'épaisseur des plus profondes ténèbres. La rivière qui coulait à mes pieds tour à tour se perdait dans le bois, tour à tour reparaissait brillante des constellations de la nuit, qu'elle répétait dans son sein. Dans une savane, de l'autre côté de la rivière, la clarté de la lune dormait sans mouvement sur les gazons : des bouleaux agités par les brises et dispersés çà et là formaient des îles d'ombres flottantes sur cette mer immobile de lumière. Auprès, tout aurait été silence et repos, sans la chute de quelques feuilles, le passage d'un vent subit, le gémissement de la hulotte ; au loin, par intervalles, on entendait les sourds mugissements de la cataracte du Niagara, qui, dans le calme de la nuit, se prolongeaient de désert en désert et expiraient à travers les forêts solitaires.

La grandeur, l'étonnante mélancolie de ce tableau, ne sauraient s'exprimer dans les langues humaines ; les plus belles nuits en Europe ne peuvent en donner une idée. En vain, dans nos champs cultivés, l'imagination cherche à s'étendre ; elle rencontre de toutes parts les habitations des hommes : mais, dans ces régions sauvages, l'âme se plaît à s'enfoncer dans un océan de forêts, à planer sur le gouffre des cataractes, à méditer au bord des lacs et des fleuves, et, pour ainsi dire, à se trouver seule devant Dieu.

CHATEAUBRIAND

RENE

L'automne me surprit au milieu de ces incertitudes : j'entrai avec ravissement dans les mois des tempêtes. Tantôt j'aurais voulu être un de ces guerriers errant au milieu des vents, des nuages et des fantômes ; tantôt j'enviais jusqu'au sort du pâtre que je voyais réchauffer ses mains à l'humble feu de broussailles qu'il avait allumé au coin d'un bois. J'écoutais ses chants mélancoliques, qui me rappelaient que dans tout pays le chant naturel de l'homme est triste, lors même qu'il exprime le bonheur. Notre cœur est un instrument incomplet, une lyre où il manque des cordes, et où nous sommes forcés de rendre les accents de la joie sur le ton consacré aux soupirs.

Le jour, je m'égarais sur de grandes bruyères terminées par des forêts. Qu'il fallait peu de choses à ma rêverie ! une feuille séchée que le vent chassait devant moi, une cabane dont la fumée s'élevait dans la cime dépouillée des arbres, la mousse qui tremblait au souffle du nord sur le tronc d'un chêne, une roche écartée, un étang désert où le jonc flétri murmurait ! Le clocher solitaire s'élevant au loin dans la vallée, a souvent attiré mes regards ; souvent j'ai suivi des yeux les oiseaux de passage qui volaient au-dessus de ma tête. Je me figurais les bords ignorés, les climats lointains où ils se rendent ; j'aurais voulu être sur leurs ailes. Un secret instinct me tourmentait ; je sentais que je n'étais moi-même qu'un voyageur ; mais une voix du ciel semblait me dire : « Homme, la saison de ta migration n'est pas encore venue ; attends que le vent de la mort se lève, alors tu déploieras ton vol vers ces régions inconnues que ton cœur demande. »

Levez-vous vite, orages désirés, qui devez emporter René dans les espaces d'une autre vie ! Ainsi disant, je marchais à grands pas, le visage enflammé, le vent sifflant dans ma chevelure, ne sentant ni pluie, ni frimas, enchanté, tourmenté et comme possédé par le démon de mon cœur.

CHATEAUBRIAND

NOTRE DAME DE PARIS

. . . . Quasimodo avait donc quinze cloches dans son sérail; mais la grosse Marie était la favorite.

On ne saurait se faire une idée de sa joie, les jours de grande volée. Au moment où l'archidiacre l'avait lâché et lui avait dit: — Allez, — il montait la vis du clocher plus vite qu'un autre ne l'eût descendue. Il entrait tout essoufflé dans la chambre aérienne de la grosse cloche; il la considérait un moment avec recueillement et amour; puis il lui adressait doucement la parole; il la flattait de la main, comme un bon cheval qui va faire une longue course. Il la plaignait de la peine qu'elle allait avoir. Après ces premières caresses, il criait à ses aides, placés à l'étage inférieur de la tour, de commencer. Ceux-ci se pendaient aux câbles, le cabestan criait, et l'énorme capsule de métal s'ébranlait lentement. Quasimodo, palpitant, la suivait du regard. Le premier choc du battant et de la paroi d'airain faisait frissonner la charpente sur laquelle il était monté. Quasimodo vibrait avec la cloche. *Vah!* criait-il avec un éclat de rire insensé. Cependant le mouvement du bourdon s'accélérait et à mesure qu'il parcourait un angle plus ouvert, l'œil de Quasimodo s'ouvrait aussi de plus en plus phosphorique et flamboyant. Enfin la grande volée commençait; toute la tour tremblait; charpentes, plombs, pierres de taille, tout grondait à la fois, depuis les pilotis de la fondation jusqu'au trèfle du couronnement. Quasimodo bouillait alors à grosse écume il allait, venait; il tremblait avec la tour de la tête aux pieds. La cloche déchaînée et furieuse présentait alternativement aux deux parois de la tour sa gueule de bronze, d'où s'échappait ce souffle de tempête qu'on entend à quatre lieues. Quasimodo se plaçait devant cette gueule ouverte; il s'accroupissait, se relevait avec les retours de la cloche, aspirait ce souffle renversant, regardait tour a tour la place profonde qui fourmillait à deux cents pieds au-dessous de lui, et l'énorme langue de cuivre qui venait de seconde en seconde lui hurler dans l'oreille. C'était la seule parole qu'il entendît, le seul son qui troublât pour lui le silence universel. Il s'y dilatait comme un oiseau au soleil. Tout à coup la frénésie de la cloche le gagnait: son regard devenait extraordinaire; il attendait le bourdon au passage, comme l'araignée attend la mouche, et se jetait brusquement sur lui à corps perdu. Alors, suspendu sur l'abîme, lancé dans le balancement formidable de la cloche, il saisissait le monstre d'airain aux oreillettes, l'étreignait de ses deux genoux, l'éperonnait de ses deux talons, et redoublait de tout le choc et de tout le poids de son corps la furie de la volée. Cependant la tour vacillait; lui, criait et grinçait des dents, ses cheveux roux se hérissaient, sa poitrine faisait le bruit d'un soufflet de forge, son oeil jetait des flammes, la cloche monstrueuse hennissait toute haletante sous lui; et alors ce n'était plus ni le bourdon de Notre-Dame ni Quasimodo; c'était un rêve, un tourbillon, une tempête; le vertige à cheval sur le bruit; un esprit cramponné à une croupe volante; un étrange centaure moitié homme, moitié cloche; une espèce d'Astolphe horrible, emporté sur un prodigieux hippogriffe de bronze vivant.

La présence de cet être extraordinaire faisait circuler dans toute la cathédrale je ne sais quel souffle de vie. Il semblait qu'il s'échappât de lui, du moins au dire des superstitions grossissantes de la foule, une émanation mystérieuse qui animait toutes les pierres de Notre-Dame et faisait palpiter les profondes entrailles de la vieille église. Il suffisait qu'on le sût là pour que l'on crût voir vivre et remuer les mille statues des galeries et des portails. Et de fait, la cathédrale semblait une créature docile et obéissante sous sa main; elle attendait sa volonté pour élever sa grosse voix; elle était possédée et remplie de Quasimodo comme d'un génie familier. On eût dit qu'il faisait respirer l'immense édifice. Il était partout en effet, il se multipliait sur tous les points du monument. Tantôt on apercevait avec effroi au plus haut d'une des tours un nain bizarre qui grimpait, serpentait, rampait à quatre pattes, descendait en dehors sur l'abime, sautelait de saillie en saillie, et allait fouiller dans le ventre d'une gorgone sculptée; c'était Quasimodo dénichant des corbeaux. Tantôt on se heurtait dans un coin obscur de l'église à une sorte de chimère vivante, accroupie et renfrognée: c'était Quasimodo pensant. Tantôt on avisait sous un clocher une tête énorme et un paquet de membres désordonnés se balançant avec fureur au bout d'une corde; c'était Quasimodo sonnant les vêpres ou l'angelus. Souvent la nuit on voyait errer une forme hideuse sur la frêle balustrade découpée en dentelle qui couronne les tours et borde le pourtour de l'abside; c'était encore le bossu de Notre-Dame. Alors, disaient les voisines, toute l'église prenait quelque chose de fantastique, de surnaturel, d'horrible; des yeux et des bouches s'y ouvraient çà et là; on entendait aboyer les chiens, les guivres, les tarasques de pierre qui veillent jour et nuit, le cou tendu et la gueule ouverte autour de la monstrueuse cathédrale. Et si c'était une nuit de Noël, tandis que la grosse cloche, qui semblait râler, appelait les fidèles à la messe ardente de minuit, il y avait un tel air répandu sur la sombre façade qu'on eût dit que le grand portail dévorait la foule et que la rosace la regardait, et tout cela venait de Quasimodo...

VICTOR HUGO

MADAME BOVARY

On était aux premiers jours d'octobre. Il y avait du brouillard sur la campagne. Des vapeurs s'allongeaient à l'horizon, entre le contour des collines ; et d'autres, se déchirant, montaient, se perdaient. Quelquefois, dans un écartement des nuées, sous un rayon de soleil, on apercevait au loin les toits d'Yonville avec les jardins au bord de l'eau, les cours, les murs et le clocher de l'église. Emma fermait à demi les paupières pour reconnaître sa maison, et jamais ce pauvre village où elle vivait ne lui avait semblé si petit. De la hauteur où ils étaient, toute la vallée paraissait un immense lac pâle, s'évaporant à l'air. Les massifs d'arbres, de place en place, saillissaient comme des rochers noirs, et les hautes lignes des peupliers, qui dépassaient la brume, figuraient des grèves que le vent remuait.

A côté, sur la pelouse, entre les sapins, une lumière brune circulait dans l'atmosphère tiède. La terre, roussâtre comme de la poudre de tabac, amortissait le bruit des pas ; et du bout de leurs fers, en marchant, les chevaux poussaient devant eux des pommes de pin tombées.

Rodolphe et Emma suivirent ainsi la lisière du bois. Elle se détournait de temps à autre, afin d'éviter son regard, et alors elle ne voyait que les troncs des sapins alignés, dont la succession continue l'étourdissait un peu.

Les chevaux soufflaient. Le cuir des selles craquait.

Au moment où ils entrèrent dans la forêt, le soleil parut.

— Dieu nous protège ! dit Rodolphe.

— Vous croyez ? fit-elle.

— Avançons ! Avançons ! reprit-il.

Il claqua de la langue. Les deux bêtes couraient.

De longues fougères, au bord du chemin, se prenaient dans l'étrier d'Emma. Rodolphe, tout en allant, se penchait, et il les retirait à mesure. D'autres fois, pour écarter les branches, il passait près d'elle, et Emma sentait son genou lui frôler la jambe. Le ciel était devenu bleu. Les feuilles ne remuaient pas. Il y avait de grands espaces pleins de bruyères tout en fleurs, et des nappes de violettes s'alternaient avec le fouillis des arbres, qui étaient gris, fauves ou dorés, selon la diversité des feuillages. Souvent on entendait sous les buissons, glisser un petit battement d'ailes, ou bien le cri rauque et doux des corbeaux, qui s'envolaient dans les chênes.

FLAUBERT

SALAMMBO

La lune se levait à ras des flots ; et, sur la ville encore couverte de ténèbres, des points lumineux, des blancheurs brillaient : le timon d'un char dans une cour, quelque haillon de toile suspendu, l'angle d'un mur, un collier d'or à la poitrine d'un dieu. Les boules de verre sur les toits des temples rayonnaient, çà et là, comme de gros diamants. Mais de vagues ruines, des tas de terre noire, des jardins faisaient des masses plus sombres dans l'obscurité ; et au bas de Malqua, des filets de pêcheurs s'étendaient d'une maison à l'autre, comme de gigantesques chauves-souris déployant leurs ailes. On n'entendait plus le grincement des roues hydrauliques qui apportaient l'eau au dernier étage des palais ; et au milieu des terrasses les chameaux reposaient tranquillement, couchés sur le ventre, à la manière des autruches. Les portiers dormaient dans les rues contre le seuil des maisons ; l'ombre des colosses s'allongeait sur les places désertes ; au loin quelquefois la fumée d'un sacrifice brûlant encore s'échappait par les tuiles de bronze, et la brise lourde apportait avec des parfums d'aromates les senteurs de la marine et l'exhalaison des murailles, chauffées par le soleil. Autour de Carthage les ondes immobiles resplendissaient, car la lune étalait sa lueur tout à la fois sur le golfe environné de montagnes et sur le lac de Tunis, où des phénicoptères parmi les bancs de

24

sable formaient de longues lignes roses, tandis qu'au delà, sous les catacombes, la grande lagune salée miroitait comme un morceau d'argent. La voûte du ciel bleu s'enfonçait à l'horizon, d'un côté dans le poudroiement des plaines, de l'autre dans les brumes de la mer, et sur le sommet de l'Acropole les cyprès pyramidaux bordant le temple d'Eschmoûn se balançaient, et faisaient un murmure, comme les flots réguliers qui battaient lentement le long du môle, au bas des remparts.

Salammbô monta sur la terrasse de son palais, soutenue par une esclave qui portait dans un plat de fer des charbons enflammés.

FLAUBERT

DOMINIQUE

Des tourterelles de bois arrivaient en mai, en même temps que les coucous. Ils murmuraient doucement à de longs intervalles, surtout par des soirées tièdes, et quand il y avait dans l'air je ne sais quel épanouissement plus actif de sève nouvelle et de jeunesse. Dans les profondeurs des feuillages, sur la limite du jardin, dans les cerisiers blancs, dans les troënes en fleur, dans les lilas chargés de bouquets et d'aromes, toute la nuit, pendant ces longues nuits où je dormais peu, où la lune éclairait, où la pluie quelquefois tombait, paisible, chaude et sans bruit, comme des pleurs de joie, — pour mes délices et pour mon tourment, toute la nuit les rossignols chantaient. Dès que le temps était triste, ils se taisaient ; ils reprenaient avec le soleil, avec les vents plus doux, avec l'espoir de l'été prochain. Puis, les couvées faites, on ne les entendait plus. Et quelquefois, à la fin de juin, par un jour brûlant, dans la robuste épaisseur d'un arbre en pleines feuilles, je voyais un petit oiseau muet et de couleur douteuse, peureux, dépaysé, qui errait tout seul et prenait son vol : c'était l'oiseau du printemps qui nous quittait.

Au dehors, les foins blondissaient prêts à mûrir. Le bois des plus vieux sarments éclatait ; la vigne montrait ses premiers bourgeons. Les blés étaient verts ; ils s'étendaient au loin dans la plaine onduleuse, où les sainfoins se teignaient d'amarante, où les colzas éblouissaient la vue comme des carrés d'or. Un monde infini d'insectes, de papillons, d'oiseaux agrestes, s'agitait, se multipliait à ce soleil de juin dans une expansion inouïe. Les hirondelles remplissaient l'air, et le soir, quand les martinets avaient fini de se poursuivre avec leurs cris aigus, alors les chauves-souris sortaient, et ce bizarre essaim, qui semblait ressuscité par les soirées chaudes, commençait ses rondes nocturnes autour des clochetons. La récolte des foins venue, la vie des campagnes n'était plus qu'une fête. C'était le premier grand travail en commun qui fît sortir les attelages au complet et réunît sur un même point un grand nombre de travailleurs.

★
★ ★

Les arbres entièrement dépouillés, j'embrassais mieux l'étendue du parc. Rien ne le grandissait comme un léger brouillard d'hiver qui en bleuissait les profondeurs et trompait sur les vraies distances. Plus de bruit, ou fort peu ; mais chaque note plus distincte. Une sonorité extrême dans l'air, surtout le soir et la nuit. Le chant d'un roitelet de muraille se prolongeait à l'infini dans les allées muettes et vides, sans obstacles au son, imbibées d'air humide et pénétrées de silence. Le recueillement qui descendait alors sur les Trembles était inexprimable ; pendant quatre mois d'hiver, j'amassais dans ce lieu où je vous parle, je condensais, je concentrais, je

27

forçais à ne plus jamais s'échapper ce monde ailé, subtil, de visions et d'odeurs, de bruits et d'images, qui m'avait fait vivre pendant les huit autres mois de l'année d'une vie si active et qui ressemblait si bien à des rêves.

FROMENTIN

LES ILLUMINATIONS
ENFANCE

I

Cette idole, yeux noirs et crin jaune, sans parents ni cour, plus noble que la fable, mexicaine et flamande ; son domaine, azur et verdure insolents, court sur des plages nommées, par des vagues sans vaisseaux, de noms férocement grecs, slaves, celtiques.

A la lisière de la forêt, — les fleurs de rêve tintent, éclatent, éclairent, — la fille à lèvre d'orange, les genoux croisés dans le clair déluge qui sourd des prés, nudité qu'ombrent, traversent et habillent les arcs-en-ciel, la flore, la mer.

Dames qui tournoient sur les terrasses voisines de la mer ; enfantes et géantes, superbes noires dans la mousse vert-de-gris, bijoux debout sur le sol gras des bosquets et des jardinets dégelés, — jeunes mères et grandes sœurs aux regards pleins de pèlerinages, sultanes, princesses de démarche et de costume tyranniques, petites étrangères et personnes doucement malheureuses.

Quel ennui, l'heure du « cher corps » et « cher cœur » !

II

C'est elle, la petite morte, derrière les rosiers. — La jeune maman trépassée descend le perron. —

29

La calèche du cousin crie sur le sable. — Le petit frère (il est aux Indes !) là, devant le couchant, sur le pré d'œillets. — Les vieux qu'on a enterrés tout droits dans le rempart aux giroflées.

L'essaim des feuilles d'or entoure la maison du général. Ils sont dans le midi. — On suit la route rouge pour arriver à l'auberge vide. Le château est à vendre ; les persiennes sont détachées. — Le curé aura emporté la clef de l'église. — Autour du parc, les loges des gardes sont inhabitées. Les palissades sont si hautes qu'on ne voit que les cimes bruissantes. D'ailleurs, il n'y a rien à voir là-dedans.

Les prés remontent aux hameaux sans coqs, sans enclumes. L'écluse est levée. O les calvaires et les moulins du désert, les îles et les meules !

III

Des fleurs magiques bourdonnaient. Les talus le berçaient. Des bêtes d'une élégance fabuleuse circulaient. Les nuées s'amassaient sur la haute mer faite d'une éternité de chaudes larmes.

IV

Au bois il y a un oiseau, son chant vous arrête et vous fait rougir.

Il y a une horloge qui ne sonne pas.

Il y a une fondrière avec un nid de bêtes blanches.

30

Il y a une cathédrale qui descend et un lac qui monte.

Il y a une petite voiture abandonnée dans le taillis ou qui descend le sentier en courant, enrubannée.

Il y a une troupe de petits comédiens en costume, aperçus sur la route à travers la lisière du bois.

Il y a enfin, quand l'on a faim et soif, quelqu'un qui vous chasse.

V

Je suis le saint, en prière sur la terrasse, comme les bêtes pacifiques paissent jusqu'à la mer de Palestine.

Je suis le savant au fauteuil sombre. Les branches et la pluie se jettent à la croisée de la bibliothèque.

Je suis le piéton de la grand'route par les bois nains ; la rumeur des écluses couvre mes pas. Je vois longtemps la mélancolique lessive d'or du couchant.

Je serais bien l'enfant abandonné sur la jetée partie à la haute mer, le petit valet suivant l'allée dont le front touche le ciel.

Les sentiers sont âpres. Les monticules se couvrent de genêts. L'air est immobile. Que les oiseaux et les sources sont loin ! Ce ne peut être que la fin du monde, en avançant.

VI

Qu'on me loue enfin ce tombeau, blanchi à la chaux avec les lignes du ciment en relief, — très loin sous terre.

Je m'accoude à la table, la lampe éclaire très vivement ces journaux que je suis idiot de relire, ces livres sans intérêt.

A une distance énorme au-dessus de mon salon souterrain, les maisons s'implantent, les brumes s'assemblent. La boue est rouge ou noire. Ville monstrueuse, nuit sans fin !

Moins haut, sont des égouts. Aux côtés, rien que l'épaisseur du globe. Peut-être les gouffres d'azur, des puits de feu ? C'est peut-être sur ces plans que se rencontrent lunes et comètes, mers et fables.

Aux heures d'amertume, je m'imagine des boules de saphir, de métal. Je suis maître du silence. Pourquoi une apparence de soupirail blêmirait-elle au coin de la voûte ?

★
★ ★

DEPART

Assez vu. La vision s'est rencontrée à tous les airs.

Assez eu. Rumeurs des villes, le soir, et au soleil, et toujours.

Assez connu. Les arrêts de la vie. — O Rumeurs et Visions !

Départ dans l'affection et le bruit neufs.

ARTHUR RIMBAUD

32

LE BONHEUR

Je fis, voilà cinq ans, un voyage en Corse. Cette île sauvage est plus inconnue et plus loin de nous que l'Amérique, bien qu'on la voie quelquefois des côtes de France, comme aujourd'hui.

Figurez-vous un monde encore en chaos, une tempête de montagnes que séparent des ravins étroits où roulent des torrents ; pas une plaine, mais d'immenses vagues de granit et de géantes ondulations de terre couvertes de maquis ou de hautes forêts de châtaigniers et de pins. C'est un sol vierge, inculte, désert, bien que parfois on aperçoive un village, pareil à un tas de rochers au sommet d'un mont. Point de culture, aucune industrie, aucun art. On ne rencontre jamais un morceau de bois travaillé, un bout de pierre sculptée, jamais le souvenir du goût enfantin ou raffiné des ancêtres pour les choses gracieuses et belles. C'est là même ce qui frappe le plus en ce superbe et dur pays : l'indifférence héréditaire pour cette recherche des formes séduisantes qu'on appelle l'art.

L'Italie, où chaque palais, plein de chefs-d'œuvre, est un chef-d'œuvre lui-même, où le marbre, le bois, le bronze, le fer, les métaux et les pierres attestent le génie de l'homme, où les plus petits objets anciens qui traînent dans les vieilles maisons révèlent ce divin souci de la grâce, est pour nous tous la patrie sacrée que l'on aime parce qu'elle nous montre et nous prouve l'effort, la grandeur, la puissance et le triomphe de l'intelligence créatrice.

Et, en face d'elle, la Corse sauvage est restée telle qu'en ses premiers jours. L'être y vit dans sa maison grossière, indifférent à tout ce qui ne touche point son existence même ou ses querelles de famille. Et il est resté avec les défauts et les qualités des races incultes, violent, haineux, sanguinaire avec inconscience, mais aussi hospitalier, généreux, dévoué, naïf, ouvrant sa porte aux passants et donnant son amitié fidèle pour la moindre marque de sympathie.

Donc depuis un mois j'errais à travers cette île magnifique, avec la sensation que j'étais au bout du monde. Point d'auberges, point de cabarets, point de routes. On gagne par des sentiers à mulets, ces hameaux accrochés au flanc des montagnes, qui dominent des abîmes tortueux d'où l'on entend monter, le soir, le bruit continu, la voix sourde et profonde du torrent. On frappe aux portes des maisons. On demande un abri pour la nuit et de quoi vivre jusqu'au lendemain. Et on s'assoit à l'humble table, et on dort sous l'humble toit ; et on serre, au matin, la main tendue de l'hôte qui vous a conduit jusqu'aux limites du village.

Or, un soir, après dix heures de marche, j'atteignis une petite demeure toute seule au fond d'un étroit vallon qui allait se jeter à la mer une lieue plus loin. Les deux pentes rapides de la montagne, couvertes de maquis, de rocs éboulés et de grands arbres, enfermaient comme deux sombres murailles ce ravin lamentablement triste.

Autour de la chaumière, quelques vignes, un petit jardin, et plus loin, quelques grands châtaigniers, de quoi vivre enfin, une fortune pour ce pays pauvre.

GUY DE MAUPASSANT

PIERRE ET JEAN

Une heure plus tard il était étendu dans son petit lit marin, étroit et long comme un cercueil. Il y resta longtemps, les yeux ouverts, songeant à tout ce qui s'était passé depuis deux mois dans sa vie, et surtout dans son âme. A force d'avoir souffert et fait souffrir les autres, sa douleur agressive et vengeresse s'était fatiguée, comme une lame émoussée. Il n'avait presque plus le courage d'en vouloir à quelqu'un et de quoi que ce fût, et il laissait aller sa révolte à vau-l'eau à la façon de son existence. Il se sentait tellement las de lutter, las de frapper, las de détester, las de tout, qu'il n'en pouvait plus et tâchait d'engourdir son cœur dans l'oubli, comme on tombe dans le sommeil. Il entendait vaguement autour de lui les bruits nouveaux du navire, bruits légers, à peine perceptibles en cette nuit calme du port ; et de sa blessure jusque-là si cruelle il ne sentait plus aussi que les tiraillements douloureux des plaies qui se cicatrisent.

Il avait dormi profondément quand le mouvement des matelots le tira de son repos. Il faisait jour, le train de marée arrivait au quai amenant les voyageurs de Paris.

Alors il erra sur le navire au milieu de ces gens affairés, inquiets, cherchant leurs cabines, s'appelant, se

questionnant et se répondant au hasard, dans l'effare-
ment du voyage commencé. Après qu'il eut salué le
capitaine et serré la main de son compagnon le com-
missaire du bord, il entra dans le salon où quelques
Anglais sommeillaient déjà dans les coins. La grande
pièce aux murs de marbre blanc encadrés de filets d'or
prolongeait indéfiniment dans les glaces la perspective
de ses longues tables flanquées de deux lignes illimitées
de sièges tournants, en velours grenat. C'était bien là le
vaste hall flottant et cosmopolite où devaient manger en
commun les gens riches de tous les continents. Son luxe
opulent était celui des grands hôtels, des théâtres, des
lieux publics, le luxe imposant et banal qui satisfait
l'œil des millionnaires. Le docteur allait passer dans la
partie du navire réservée à la seconde classe, quand il
se souvint qu'on avait embarqué la veille au soir un
grand troupeau d'émigrants, et il descendit dans l'entre-
pont. En y pénétrant, il fut saisi par une odeur nauséa-
bonde d'humanité pauvre et malpropre, puanteur de
chair nue plus écœurante que celle du poil ou de la
laine des bêtes. Alors, dans une sorte de souterrain
obscur et bas, pareil aux galeries des mines, Pierre
aperçut des centaines d'hommes, de femmes et d'enfants étendus sur des planches superposées ou grouillant
par tas sur le sol. Il ne distinguait point les visages, mais
voyait vaguement cette foule sordide en haillons, cette
foule de misérables vaincus par la vie, épuisés, écrasés,
partant avec une femme maigre et des enfants exténués

pour une terre inconnue, où ils espéraient ne point mourir de faim, peut-être.

Et songeant au travail passé, au travail perdu, aux efforts stériles, à la lutte acharnée, reprise chaque jour en vain, à l'énergie dépensée par ces gueux, qui allaient recommencer encore, sans savoir où, cette existence d'abominable misère, le docteur eut envie de leur crier : « Mais foutez-vous donc à l'eau avec vos femelles et vos petits ! » Et son cœur fut tellement étreint par la pitié qu'il s'en alla, ne pouvant supporter leur vue.

GUY DE MAUPASSANT

TERRE D'OC

Aux eaux vives, à l'humidité grasse d'un air arrosé presque en même temps de soleil et de pluie, est due la beauté des fleurs, le velours de l'herbe, la luxuriance des verdures qui sont la joie de Bagnères. Les fleurs foisonnent: les coquelourdes, les roses-trémières, les tournesols traditionnels dans les jardinets pauvres à la campagne, et, autour des villas — telles des floraisons de paradis entrevues à travers les grilles — la magnificence au bord des pelouses.

Quels que soient les agréments de la ville d'eaux, on s'en lasserait vite s'il ne s'y joignait pas l'attrait des montagnes. La vie est vraiment trop tassée en bas, trop bruyante, trop constamment en parade. Et la parade est si médiocre. Des maladies qui se coudoient, des vanités qui s'épient; de la foule, mais sans l'imprévu de la foule, les mêmes visages, les mêmes grimaces rencontrés aux mêmes heures; des musiques et pas de vraie musique: des chanteurs montagnards en bérets, une fanfare municipale en képi, des harpistes ambulants devant les cafés, des pianos mécaniques au coin des rues et des pianos mécanisants à toutes les portes; là-dessus la mélopée des marchands de journaux, des débitants de sucre d'orge; un supplice!

Passée la première nouveauté du dépaysement, on risquerait de s'ennuyer à Bagnères, si par-dessus le spectacle de la rue on n'avait pas le spectacle des montagnes. C'est comme un décor superposé à l'autre, une architecture grandiose dont les lignes sévères ou gracieuses ennoblissent l'étroit horizon de la cité. Sur le feston des toits, dans la perspective des promenades, les montagnes surgissent présentes et lointaine. Elles évoquent la vision nostalgique d'une autre nature, d'une autre humanité. Leurs silhouettes bientôt se précisent, se discernent. Au-dessus des Thermes et du Casino, cette nuance de verdure qui s'élève en muraille végétale, ce sont les premières assises du Brédat. En face, sur la rive gauche de l'Adour, cette colline couronnée de hêtres et de chênes, ce sont les Palomières. A l'extrémité de la vallée, l'Arbizon, le Lhéris — un pic, une tête casquée — gardent les défilés du col d'Aspin. Et de très loin, enfoncé dans le dédale de la haute chaîne, le Montaigu invisible allonge au déclin du jour son ombre curieuse sur la vallée de Campan et sur les mornes d'Ordinéide. Tantôt finement découpées sur l'azur, tantôt nimbées de vapeurs ou encapuchonnées dans la brume, ces figures s'imposent au regard, suggestives, fascinantes...

Le Pic-du-Midi règne sur ce troupeau farouche. Si peu qu'on s'élève sur les flancs des montagnes voisines sa pyramide apparaît, victorieuse du temps, dominatrice de l'espace. La science humaine veille là-haut; dans l'étroite casemate de l'Observatoire, assiégée par la tempête, elle guette le jeu des forces déchaînées qui se disputent l'étendue. Bien humble encore et faillible providence, elle s'efforce à calculer, à prévoir. Comme de Chamounix vers le Mont-Blanc, tous les regards de Bagnères vont vers l'Observatoire, vers le Pic.

Plus d'une fois il m'est arrivé d'être réveillé en pleine nuit par le passage sous mes fenêtres de caravanes de touristes qui montent au sommet pour assister au lever du soleil. De mon lit, j'imaginais les émotions de leur course. Je me représentais le grand mystère qui plane sur la vallée de Campan, sur les prairies baignées de rosée, sur les bourgades en sommeil que berce le grondement monotone de l'Adour. Puis après Gripp, à la montée des lacets qui contournent les flancs du colosse, je croyais sentir l'angoisse des solitudes, la solennité du silence que coupe la chute indéfiniment prolongée d'abîme en abîme d'une pierre détachée par le sabot d'un mulet; au delà de l'hôtellerie, je voyais le sentier en surplomb suspendu entre le ciel et les gouffres du lac d'Oncet, entre les étoiles d'en haut, et, comme un firmament renversé, les constellations en reflets qui palpitent au bas dans le chaos des ténèbres liquides. Le sommet, enfin, le recueillement de l'attente dans le frisson de l'aube, la pâleur qui monte à l'orient, l'écorce terrestre qui se soulève, le relief sombre des montagnes, l'ondulation à perte de vue des plaines. Un trait de feu souligne une nuée lointaine, des glaciers rosissent, et comme un lingot monstrueux battu sur l'enclume de l'horizon par un marteau invisible, le disque d'or jaillit dans une gerbe de gloire.

Je ne verrai pas ces choses cette année; le temps incertain ne se prête pas aux ascensions. Du Monné, cependant, puis du col de Teilhet en montant au Casque de Lhéris, j'ai pu contempler le Pic-du-Midi à distance. Il disparaît un peu dans le vaste panorama du Monné; mais au Teilhet sa pyramide emplit toute la perspective. Dans l'étroite ouverture des pentes qui tombent sur la vallée de Campan, la noble figure, portée comme une idole sur le piédestal de ses contreforts, se dresse sévère et grandiose, telle que l'ont faite ses luttes millénaires contre les éléments, avec la vieillesse de ses rides, avec la jeunesse éternelle de ses pelouses et de ses forêts, image sublime, tête-à-tête inoubliable où j'ai retrouvé toute ma ferveur, toute mon exaltation pyrénéenne d'autrefois.

EMILE POUVILLON

A THEBES, LA NUIT

L'avenue, que j'ai suivie vers l'est, aboutit à l'un des
chaos de granit les plus déconcertants qui soient à Thèbes: la salle des fêtes de Thoutmosis III. Comment étaient les fêtes qu'il donnait là, ce roi, dans cette forêt de
piliers trapus, sous ces plafonds dont la moindre pierre
si elle tombait, écraserait vingt hommes! Par places, des
frises, des colonnades, qui semblent presque diaphanes
dans l'air, se dessinent encore en haute magnificence, bien
alignées sur le ciel plein d'étoiles. Ailleurs la destruction
est stupéfiante: pêle-mêle gisent les tronçons, les entable-
ments, les bas-reliefs, comme un semis d'épaves après la
fureur de quelque tempête mondiale. C'est qu'il n'a pas
suffi de la main des hommes pour culbuter ces choses; les
tremblements de terre, à plusieurs reprises, ont aussi se-
coué ce palais de cyclope qui menaçait d'être éternel. Et
tout cela — qui représente une telle débauche de force, de
mouvement, d'impulsion, pour avoir été érigé et pour
avoir été détruit, — tout cela reste tranquille ce soir, oh!
si tranquille, bien que déjeté comme pour des chutes im-
minentes, tranquille à jamais, dirait-on, figé dans le froid
et dans la nuit.

Le silence d'un tel lieu, je l'avais prévu, mais pas les
bruits que je commence d'y entendre ... C'est d'abord une
orfraie qui prélude au-dessus de ma tête, si près de moi
qu'elle me tient frémissant toute la durée de son long cri.
Ensuite d'autres voix répondent du fond des ruines, voix

43

très variées, mais toutes sinistres; les unes ne savent que miauler sur deux notes traînantes; il y en a qui glapissent comme font les chacals autour des cimetières, et d'autres enfin imitent le bruit d'un ressort d'acier qui lentement se détendrait. C'est d'en haut toujours que vient le concert; hiboux, orfraies ou chouettes, toutes les espèces d'oiseaux qui ont le bec crochu, l'œil rond, l'aile de soie pour voler sans bruit, habitent parmi les granits lourdement soutenus en l'air, et célèbrent, chacun à sa guise, la fête nocturne: appels intermittents, longues plaintes si tristes, qui s'enflent ou bien qui s'étranglent et frissonnent . . . Et puis, malgré la sonorité des grandes parois droites, malgré les échos qui prolongent, le silence s'obstine à revenir, et c'est décidément lui, le silence, qui reste le vrai maître, à cette heure, dans ce royaume du colossal, de l'immobile et du bleuâtre, — un silence que l'on sent infini, parce qu'on sait qu'il n'y a rien autour de ces ruines, rien que le déploiement des sables morts, le seuil des déserts.

★
★ ★

Je retourne sur mes pas vers l'ouest, vers l'hypostyle, toujours par l'avenue des monstrueuses splendeurs, prisonnier et comme amoindri entre les rangées des souveraines pierres. Des obélisques sont là, renversés ou debout; l'un pareil à ceux de Louxor, mais de beaucoup

plus haute taille, est demeuré intact et dresse vers le ciel
sa pointe vive; d'autres, plus inconnus dans leur simpli-
cité exquise, sont tout unis et droits de la base au sommet,
avec seulement, en relief, des fleurs gigantesques de lo-
tus qui montent au bout de longues tiges pour aller en
haut s'épanouir dans la demi-lueur versée par les étoiles.
Quand le passage se resserre et devient plus obscur, parfois il faut marcher à tâtons; alors mes mains rencontrent
à nouveau les éternels hiéroglyphes partout inscrits, ou
bien les jambes de quelque colosse assis sur un trône.
Elles sont encore presque chaudes, les pierres, tant le
soleil a dardé ici tout le jour. Et certains granits, tellement
durs que nos ciseaux en acier ne les tailleraient plus, ont
gardé leur poli malgré les siècles, à ce point que les doigts
glissent en les touchant.

On n'entend plus rien; finie, la musique des oiseaux
de nuit. En vain on écoute, attentif jusqu'à pouvoir comp-
ter les pulsations de ses propres artères: rien, pas même
un bruissement d'insecte. Tout est muet, tout est spectral,
et, malgré cette tiédeur persistante des pierres, l'air de
plus en plus froid donne l'impression que tout se glace
définitivement comme dans la mort.

Tant de silence, ici, tant de silence depuis des siècles,
après tant de bruit que les hommes y ont fait jadis, sans
aucune cesse, durant trois ou quatre millénaires, tant de
clameurs que les multitudes y ont jetées, tant de cris de
triomphe ou d'angoisse, tant de râles d'agonie... D'abord
le halètement de ces travailleurs attelés par milliers,
s'épuisant de génération en génération, sous les ardents

45

soleils, à traîner et à superposer ces pierres dont l'énormité nous confond. Et puis les prodigieuses fêtes, le chant des longues harpes, la sonnerie des trompettes d'airain. Ou encore les égorgements, les batailles, quand Thèbes était la grande et unique capitale du monde, objet d'épouvante et de convoitise pour les rois des peuples barbares qui commençaient de s'éveiller alentour; les symphonies des sièges et des pillages, en ces jours où les primitifs soldats hurlaient comme avec des gosiers de bêtes . . . Se rappeler cela ici même, et par une si calme nuit bleue! . . . Les parois en granit de Syène, sur lesquelles se posent mes mains d'un jour, songer à tous les êtres qui en passant les ont touchées, s'y sont meurtris dans les luttes suprêmes, sans érailler seulement le poli de ces surfaces immuables!

PIERRE LOTI

TABLE DES MATIÈRES
PROSE

Introduction 9

Rêveries du promeneur solitaire, *Jean-Jacques Rousseau*........ 11

Le génie du christianisme, *Chateaubriand*............................ 14

René, *Chauteaubriand*... 16

Notre Dame de Paris, *Victor Hugo*..................................... 18

Madame Bovary, *Flaubert*... 22

Salammbô, *Flaubert*... 24

Dominique, *Fromentin*... 26

Les illuminations. Enfance, *Arthur Rimbaud*....................... 29

Départ, *Arthur Rimbaud*... 32

Le bonheur, *Guy de Maupassant*.. 33

Pierre et Jean, *Guy de Maupassant*..................................... 36

Terre d'oc, *Emile Pouvillon*... 39

A Thèbes, la nuit, *Pierre Loti*.. 43